Combat à Illumis

Combat à Illumis

JEUNESSE

Pikachu

Pikachu a été le premier Pokémon de
Sacha et, depuis leur rencontre, ils ne
se sont plus quittés. Quoi qu'il arrive,
Pikachu fait toujours confiance
à Sacha et se donne à fond lors
des combats.

Sacha

Sacha est un jeune Dresseur
originaire de Bourg Palette,
dans la région de Kanto.
Il voyage toujours
accompagné de son
premier Pokémon
et meilleur ami,
Pikachu. Il s'apprête à relever de
nouveaux défis en remportant toujours
plus de Badges dans la région de Kalos !

CLem

Clem est la petite sœur de Lem. Turbulente et impulsive, elle est bien différente de son frère ! Encore trop jeune pour avoir son propre Pokémon, elle accompagne son frère dans ses aventures… et garde l'œil ouvert pour lui trouver une petite amie !

Lem

Lem est un mordu d'électronique. Bien que réservé et timide, il s'affirme quand il fait appel à sa grande intelligence ou utilise ses inventions… souvent défectueuses ! Il est aussi le Champion d'Arène d'Illumis.

Serena

Serena s'apprête à entrer dans la compétition des Salons Pokémon. Son rêve est de devenir la meilleure Artiste Pokémon de la région : la Reine de Kalos ! Mais il y a de nombreux autres Artistes portés par le même rêve sur son chemin…

Dedenne

Dedenne est le Pokémon de Lem :
il s'en occupe en attendant que Clem
soit en âge de devenir Dresseuse !
Ses moustaches lui servent d'antennes
et lui permettent d'envoyer et de
recevoir des signaux pour
communiquer à distance.

Marisson

Ce coquin de Marisson a
toujours faim, et il aime
tant les macarons
de Serena qu'il en
mange parfois une
fournée entière à lui
tout seul ! Lorsqu'il
rassemble ses
forces, ses piquants
souples deviennent
si durs et acérés qu'ils
pourraient transpercer
un rocher.

Roussil

Roussil est l'évolution de Feunnec, le premier Pokémon
de Serena ! Il aide de son mieux sa Dresseuse, en combat ou
dans les Salons Pokémon. Quand il tire le bâton qui se trouve
dans sa queue, celui-ci frotte contre sa fourrure et s'enflamme.
Le bâton peut alors lui servir d'outil… ou d'arme !

La Team Rocket

Jessie, James et Miaouss sont de retour,
plus déterminés que jamais à capturer
le Pikachu de Sacha pour leur chef Giovanni !
Avec leur esprit machiavélique, ils sont toujours
prêts à manigancer des plans plus terribles les uns
que les autres... L'un d'eux fonctionnera-t-il ?

Chapitre 1

À l'Arène

Que de changements depuis la visite de Sacha et de ses amis à la ville maritime de Port Tempères ! Sacha a décroché là-bas son quatrième Badge d'Arène de la région de Kalos et Serena, après avoir perdu

son premier Salon Pokémon, a décidé de changer de look afin de prendre un nouveau départ. Mais aujourd'hui, c'est Sacha qui s'apprête à vivre une grande aventure. Le jour est en effet venu pour lui d'affronter comme promis son ami inventeur Lem, le Champion d'Arène d'Illumis !

— Tu es prêt, Lem ?

— Prêt, Sacha !

Soudain, l'écran d'ordinateur clignote au-dessus de la lourde porte métallique.

— Désolé de vous avoir fait attendre, récite Lemrobot, l'assistant électronique du jeune inventeur. Ce combat était prévu depuis longtemps. Que le meilleur gagne !

La double porte s'ouvre alors, et Sacha, Lem, Clem et Serena s'engouffrent dans le bâtiment. Tandis que les deux

adversaires prennent place sur la piste de combat, Clem et Serena s'installent dans les gradins afin d'assister à la rencontre tant attendue. Serena invite Pandespiègle et Roussil, l'évolution de Feunnec, à regarder le duel avec elle. Clem l'imite en appelant Dedenne, lorsque le Marisson de Lem les rejoint d'un air boudeur.

— Oh, Marisson, inutile de faire cette tête, pouffe Clem. Si tu ne veux pas combattre, mon grand frère ne t'y obligera pas. Tu peux rester ici avec nous.

Le Pokémon Bogue sourit, soulagé. Au même moment, un homme vient s'asseoir sur le banc, juste derrière eux.

— Papa ! l'accueille joyeusement Clem.

Lem n'en revient pas.

— Tu es venu me voir ?

— Je ne voulais pas manquer un affrontement si important, répond Jérémy. Sacha de Bourg

Palette contre mon fils... Cela promet de faire des étincelles !

Sacha bombe fièrement le torse.

— En tout cas, j'ai bien l'intention de gagner ! se vante-t-il.

— Compte sur moi pour t'en empêcher ! rétorque Lem, amusé. Bon, il est temps de commencer. Lemrobot, tu seras notre arbitre.

Le robot avance en bordure de piste.

— Le combat se jouera à trois contre trois, annonce-t-il de sa

voix métallique. Il s'achèvera quand les trois Pokémon de l'un des Dresseurs ne seront plus capables de se battre. Seul notre visiteur Sacha a le droit de changer de Pokémon au cours de la bataille. Et maintenant, que les combattants choisissent leur premier coéquipier...

Sans hésiter, Lem brandit sa Poké Ball.

— Viens, Sapereau ! ordonne-t-il.

Le Pokémon Fouisseur apparaît. Il agite ses longues oreilles, impatient d'affronter son adversaire.

— Pikachu, à toi de jouer !
s'écrie Sacha.

Et le vaillant Pokémon
Souris se précipite au
centre de la zone de
combat.

— Lance Tonnerre !
commande aussitôt son
Dresseur.

— Vite, soulève un nuage de
poussière avec tes oreilles !
contre Lem.

Sapereau obéit, arrêtant net
l'attaque de type Électrik.

— Parfait ! le félicite le
Champion. Maintenant, utilise
Tunnel !

Pikachu se met à courir autour de la piste afin de ne pas se laisser rattraper. Sacha s'exclame alors :

— Vive-Attaque !

Sapereau est heurté de plein fouet. Il riposte avec Torgnoles. Le Pokémon Souris pare sans mal à l'aide de Queue de Fer,

que l'autre intercepte avec ses oreilles.

— Bravo, Sapereau ! crie Lem. À présent, jette Éclair Fou suivi de Tunnel afin d'éviter les dégâts des contre-attaques que Pikachu pourrait t'infliger !

Sacha est époustouflé par la stratégie du Champion. Pas de doute, depuis leur dernier affrontement, il s'est considérablement entraîné !

Chapitre 2

Un duel fantastique

Lem sourit d'un air satisfait.

— Tu te bats bien, Sacha, admet-il. Tu sais résister, et c'est justement ce que je souhaite : pousser les visiteurs que je reçois dans mon Arène à donner le meilleur d'eux-mêmes !

19

— Dans ce cas, je ne vais pas te décevoir ! rétorque le Dresseur. Pikachu, lance Vive-Attaque !

Sapereau contre avec Tunnel, mais cette fois, l'adversaire est plus rapide. Pikachu utilise Queue de Fer à deux reprises afin de le plaquer au sol. Incapable de réagir, le Pokémon Fouisseur s'écroule.

— Sapereau n'est plus capable de se battre, Pikachu remporte la manche ! annonce Lemrobot.

— Pika-pika ! triomphe le Pokémon Souris.

Dans les gradins, Serena, Clem et Jérémy applaudissent. Quel combat extraordinaire !

— Je te remercie, Sapereau, murmure Lem en rappelant son Pokémon. Tu as livré une belle bataille. Pendant que tu récupères tes forces, je continue l'affrontement avec...

Il jette une Poké Ball dans l'Arène avant d'ajouter :

— Mon Iguolta !

L'impressionnant Pokémon Générateur surgit en déployant sa collerette. Sacha réfléchit.

— Reviens te reposer, Pikachu, dit-il enfin.

Puis il sort une Poké Ball de sa poche.

— Muplodocus, je te choisis !

Le Pokémon Dragon est immense ! Il s'agit de la

deuxième évolution de Mucuscule, le Pokémon Mollusque. Lem sait qu'en tant que type Électrik, Iguolta devra se concentrer un m a x i m u m pour lutter contre cet adversaire...

— Oh ! là, là ! ça va être un duel fantastique ! s'enthousiasme Clem, dans l'assistance.

Lemrobot donne le signal, et Sacha entame le combat.

— Muplodocus, utilise Dracochoc !

— Iguolta, bouge ! s'empresse d'enchaîner Lem.

L'attaque de Sacha échoue. L'incroyable dextérité d'Iguolta bluffe tout le monde dans l'Arène. Muplodocus a beau faire, il parvient à peine à le suivre des yeux !

— Ah ! Ah ! Ah ! Tu n'es pas au bout de tes surprises,

Sacha ! fanfaronne Lem. Envoie Flash, Iguolta ! Et ensuite, Draco-Queue !

Ébloui par l'intense luminosité du Pokémon Générateur, Muplodocus ne peut esquiver et s'effondre en mugissant.

— Oh non, pas déjà ! s'affole Sacha.

Mais son valeureux compagnon se relève.

— Super, montre-leur de quel bois on se chauffe ! l'encourage le Dresseur. Jette Dracochoc !

Iguolta évite le coup en s'élançant comme un boulet de canon.

— Cage-Éclair ! souffle Lem.

La tactique est excellente : l'adversaire se retrouve momentanément Paralysé. Sacha n'étant pas décidé à abandonner si facilement, il rappelle Muplodocus et change de Pokémon.

— À ton tour, Brutalibré !

Lem approuve.

— Excellente idée, Sacha. Ton Pokémon Catcheur est si agile, qu'il sera à la hauteur de mon Iguolta. Au moins, ils lutteront à armes égales...

— Tu l'as dit ! réplique Sacha. Passons aux choses sérieuses,

tu veux ? Brutalibré, lance Poing-Karaté !

Iguolta réagit en utilisant à nouveau Cage-Éclair, mais il ne peut absorber l'attaque de son adversaire. Il tombe, déséquilibré... et se redresse dans la foulée, résolu à continuer !

— Parabocharge ! reprend Lem.

Le Pokémon Générateur déploie alors sa collerette. En dépit de ses efforts, Brutalibré ne peut parer l'averse électrique...

Chapitre 3

Le point faible

Toujours assis parmi les spectateurs, Jérémy admire la technique de son fils.

— Parabocharge a la faculté de guérir celui qui l'utilise. Cela signifie que les dégâts encaissés par Iguolta ont

disparu. Il repart avec un formidable avantage !

Sacha serre les poings.

— Le combat n'est pas terminé pour autant, Brutalibré, affirme-t-il. On enchaîne avec Flying Press !

— Utilise Flash, Iguolta ! contre Lem. Puis enchaîne avec Parabocharge !

Brutalibré ne peut éviter le choc, mais Sacha remarque un détail d'importance, dans l'attaque d'Iguolta...

— Youpi ! J'ai trouvé la parade ! s'écrie-t-il soudain, ravi.

L'adversaire approche afin de lancer Flash une nouvelle fois. Sacha conseille :

— Du sang-froid, Brutalibré, ne bouge pas ! J'ai un plan, tu vas voir...

Le Pokémon Catcheur s'immobilise. Iguolta lui fait à présent face. Il déploie sa collerette pour générer son attaque, et là...

— Pied Voltige, Brutalibré !
crie Sacha.

Iguolta, stupéfait, est projeté
contre la paroi de la zone de
combat et s'assomme à demi.

— Brutalibré gagne par KO !
déclame Lemrobot.

Dans les gradins, tout le
monde applaudit.

— Fabuleux ! Quelle maîtrise !

— J'avoue que vous m'avez étonné, ton Brutalibré et toi, reconnaît Lem en s'inclinant légèrement devant Sacha. Au fait, tu as parlé d'une parade... tu peux m'expliquer ?

— C'est simple ! dit le Dresseur. En observant Iguolta, j'ai remarqué qu'il se fige une seconde avant chacune de ses attaques, au moment où il déploie sa collerette. Voilà

donc son point faible : pour le vaincre, il faut frapper pile au bon moment, lorsqu'il est pétrifié. Brutalibré étant très rapide, le reste était facile !

Lem rajuste ses lunettes. Il sourit d'une mine impression-née.

— Brillant, Sacha, admet-il. J'ignorais cette particularité d'Iguolta... Crois-moi, à l'avenir, je ne l'oublierai pas.

Il rappelle son Pokémon, brandit une autre Poké Ball, et jette :

— Comme tu vas t'en rendre compte, mon troisième et

dernier coéquipier n'a pas de point faible, lui...

À ces mots, Luxray, le Pokémon Brillœil, évolution de Luxio, surgit sur la piste. Brutalibré piétine aussitôt le sable, désireux d'affronter un tel adversaire.

— Entendu, on poursuit ensemble, accepte Sacha. Lance Flying Press !

Le Pokémon Catcheur bondit.

— Luxray, utilise Champ Électrifié ! s'exclame Lem.

Dans le public, Jérémy approuve la stratégie de son fils : Champ Électrifié a le pouvoir de renforcer toutes les attaques de type Électrik générées dans une zone de combat. De quoi perturber sérieusement l'adversaire !

— On ne baissera pas les bras ! rugit Sacha. Brutalibré, assène Pied Voltige !

— Éclair Fou, Luxray ! réplique le Champion d'Illumis.

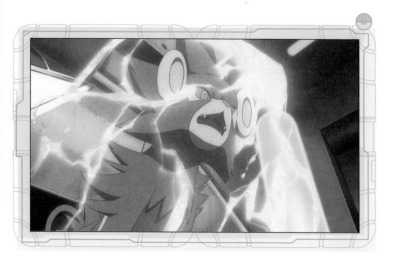

Comme prévu, la puissance de l'attaque du Pokémon Brillœil est surmultipliée.

Propulsé à terre, Brutalibré s'écroule, inconscient.

— Brutalibré n'est plus capable de se battre. Luxray remporte cette manche ! articule Lemrobot.

Serena s'inquiète. Que va faire Sacha, à présent ?

— Tu as été génial, Brutalibré, dit celui-ci. Repose-toi, tu l'as bien mérité.

Et se tournant vers Lem :

— Puisque ton Pokémon est de type Électrik, je choisis de lui opposer... Pikachu !

— Super ! se réjouit sincèrement Lem. Deux Pokémon de type Électrik s'affronteront avec les mêmes chances !

Chapitre 4

De fins stratèges

$\mathbb{S}$acha ne perd pas une seconde.

— Pikachu, lance Tonnerre !

— Riposte avec Crocs Éclair, Luxray ! s'écrie Lem.

Cette attaque permet au Pokémon Brillœil de mordre

dans le Tonnerre de son adversaire, ce qui a pour effet de le déstabiliser totalement. Lem en profite pour frapper plus fort.

— Éclair Fou, doublé de Météores ! décide-t-il.

Les coups s'enchaînent, le pauvre Pikachu n'a pas le temps de se ressaisir. Cependant, il s'applique à écouter Sacha en utilisant Queue de Fer afin de repousser les rayons. En vain : Luxray lui envoie encore Éclair Fou, et il n'a plus la résistance nécessaire...

— Pikachu est vaincu ! déclare Lemrobot.

Sacha se précipite. Il ramasse son compagnon en chuchotant :

— Merci, mon vieux copain, tu as été fantastique !

— Et voilà ! constate Lem. Nous sommes désormais à égalité, avec un dernier

Pokémon chacun... J'espère que la fin du combat sera aussi spectaculaire que le début !

— Tu peux en être certain, promet Sacha. Car je continue avec Muplodocus !

Le Pokémon Dragon surgit dans l'Arène. Lem s'étonne :

— Je ne comprends pas ! Muplodocus s'est déjà battu, il n'a pas encore récupéré ses forces...

— Tu as raison, sauf que j'ai un atout dans ma manche,

rétorque Sacha d'un ton mystérieux. Muplodocus, envoie Danse Pluie !

Un gros nuage se forme au-dessus de leur tête, et une averse soutenue s'abat sur la piste.

— Ça alors, j'aurais dû y penser, souffle Lem. La pluie désactive toute l'électricité de la zone de combat...

Il y a plus : Muplodocus se prélasse sous l'eau avec bonheur. Son talent étant Hydratation, l'averse le régénère totalement en quelques instants !

— Fantastique ! se félicite Sacha. Maintenant, nous allons pouvoir donner notre maximum !

— Belle tactique, en effet, avoue Lem. Pourtant, je n'ai pas dit mon dernier mot, au contraire ! Luxray, on y va, envoie Météores !

Les rayons de l'attaque fusent en direction de l'adversaire. Bizarrement, Sacha refuse de réagir.

— Muplodocus, bloque juste l'attaque avec ta queue en bouclier ! commande-t-il.

Lem en profite pour tenter le tout pour le tout.

— Crocs Éclair, Luxray !

Mais Sacha demeure fidèle à sa stratégie.

— Muplodocus, utilise Patience !

Avec cette attaque, le Pokémon Dragon encaisse les coups de façon passive, en échange de quoi, son attaque suivante infligera le double de dégâts à Luxray ! C'est un pari audacieux, très risqué pour Sacha...

— Éclair Fou ! enchaîne Lem, un peu déstabilisé par le

comportement trop inactif à son goût de son opposant.

— Patience ! s'entête d'ailleurs ce dernier.

— C'est bon, tu l'auras voulu ! gronde le Champion d'Illumis. Luxray, jette à nouveau Météores !

Muplodocus se recroqueville sur lui-même afin de repousser les rayons. Sacha fronce les sourcils.

— Fini de jouer ! tranche-t-il brusquement. Le moment est

venu de décrocher mon cinquième Badge d'Arène de la
région de Kalos. Muplodocus,
cette fois, on met toute la
gomme, mon vieux !

Chapitre 5

Et l'aventure continue

Muplodocus ne paraît pas douter de l'extraordinaire énergie qu'il a emmagasinée grâce à Patience. Il se jette courageusement dans la bataille. Il se redresse, inspire à fond, et crache un rayon dévastateur

qui l'étonne lui-même. Quelle puissance ! Le souffle envahit l'Arène, le tourbillon ébranle le bâtiment, détruit une partie des installations, m e n a c e d'emporter les spectateurs, soulève le sable de la piste... Lorsque le nuage de poussière se dissipe enfin, Muplodocus soupire, épuisé. Devant lui, Luxray vacille sur ses pattes et s'effondre, vaincu.

— Muplodocus a gagné, proclame Lemrobot. Le combat est terminé. Notre visiteur Sacha, de Bourg Palette, remporte donc la victoire !

— On a réussi ! triomphe le Dresseur en courant embrasser le valeureux Pokémon Dragon. Bravo, Muplodocus !

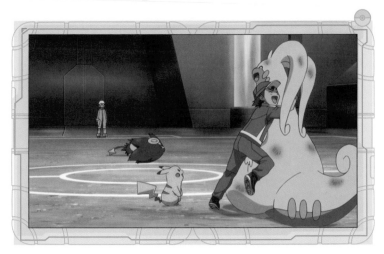

— Hourra ! Sacha a décroché son Badge ! s'écrie Serena, dans les gradins.

À côté d'elle, Clem et Jérémy applaudissent gaiement.

— Mon frère a perdu, mais il s'est drôlement bien battu quand même ! déclare la petite fille.

— C'est vrai, acquiesce Jérémy. Je suis fier de lui ! Tous descendent dans l'Arène où Lem, beau joueur, complimente Sacha.

— J'ai apprécié ta stratégie, je ne suis pas près de l'oublier. Félicitations, tu es un Dresseur de premier plan !

— Et toi, un Champion exceptionnel ! renchérit Sacha avec reconnaissance. Tu m'as poussé à prendre des risques inédits. Jamais je n'aurais osé me mettre ainsi en danger, auparavant... Oui, je me suis bien amélioré, au cours de ce combat !

Lem hoche la tête. Puis il fouille dans sa poche et tend un insigne à Sacha.

— Je te remets officiellement le Badge Tension de l'Arène d'Illumis ! déclare-t-il.

Le Dresseur s'en empare, l'œil brillant.

— Mon cinquième Badge d'Arène ! Je n'en reviens pas !

Il le place avec satisfaction dans son coffret spécial. Jérémy l'observe en souriant.

— Si je compte bien, il ne te manque plus que trois Badges pour participer au Tournoi de la Ligue de Kalos, n'est-ce pas ?

— Plus que trois Badges..., répète Sacha, rêveur. J'ai hâte !

— Et où penses-tu essayer de décrocher le prochain ? interroge encore Jérémy.

Comme Sacha hésite, Serena consulte sa tablette.

— Que dirais-tu de la jolie ville de Romant-sous-Bois ? propose-t-elle.

— Entendu, accepte le Dresseur. Va pour Romant-sous-Bois !

Lem ayant respecté sa promesse d'affronter Sacha,

il choisit d'accompagner ses amis.

— J'ai accompli ma mission de Champion d'Illumis, raisonne-t-il. Lemrobot peut donc reprendre le contrôle de l'Arène en mon absence... car je viens avec vous !

— Youpi, on repart en voyage tous ensemble ! s'exclament en chœur Clem et Serena.

Ému, Sacha serre la main de Lem.

— Et l'aventure continue ! s'exclame-t-il dans un grand éclat de rire.

Fin

Luxray

Type :

Électrik

Catégorie :

Pokémon Brillœil

Luxray est l'évolution de Luxio. Ses yeux dorés lui permettent de voir à travers tous les matériaux, ce qui lui est très utile pour repérer tous les dangers quand il monte la garde… mais aussi pour trouver de la nourriture !

Le voyage de Sacha
est loin d'être terminé !
Retrouve le Dresseur
dans le prochain tome :

Le Méga-Lien
de Carchacrok

Sur le chemin de Romant-sous-Bois,
Sacha et ses amis décident d'aller rendre
une petite visite au Professeur Platane.
Ce dernier espère faire méga-évoluer
son Carchacrok grâce à une Méga-Gemme :
la Carchacrokite. Mais c'était sans compter
sur l'arrivée soudaine de la Team Rocket,
bien décidée à semer la pagaille
une fois encore…

Pour en savoir plus, fonce sur le site
www.bibliotheque-verte.com

Tu as toujours rêvé de devenir
un Dresseur Pokémon ?
Tu as de la chance :
grâce à cette nouvelle histoire,
tu vas pouvoir faire tes preuves.
Tu es prêt ? Cette fois-ci
c'est *à ton tour* de tous les attraper !

As-tu déjà lu les premières histoires de Sacha et Pikachu ?

Le problème de Pikachu

Un mystérieux Pokémon

Le combat de Sacha

La capture de Vipélierre

Le secret des Darumarond

Un fabuleux défi

La revanche de Gruikui

Le huitième Badge

Le pouvoir de Meloetta

La Ligue d'Unys

Le réveil de Reshiram

Le tournoi Pokémon Sumo

Aventures à Kalos

La Championne de Neuvartault

Mystère à Illumis

Le Château de Combat

L'Arène du Grand-Duc

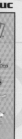

Les secrets de la Méga-Évolution

Le héros de la forêt

Un combat rythmé

Un duo de choc

Le Spectacle Pokémon

Un défi de ninja

Une rencontre gluante

TABLE

⊞ hachette s'engage pour
l'environnement en réduisant
l'empreinte carbone de ses livres.
Celle de cet exemplaire est de :
250 g éq. CO₂
Rendez-vous sur
www.hachette-durable.fr

PAPIER À BASE DE
FIBRES CERTIFIÉES

Photogravure Nord Compo - Villeneuve-d'Ascq
Imprimé en Espagne par CAYFOSA
Dépôt légal : janvier 2016
Achevé d'imprimer : décembre 2015
25.3054.0/01 – ISBN 978-2-01-231851-9
Loi n° 49956 du 16 juillet 1949
sur les publications destinées à la jeunesse